Mac Dathó agus a Chú

Ceann de mhórscéalta na hÉireann curtha in oiriúint do ghasúir bhunscoile ag

Caitlín Uí Anluain

Mary Arrigan
a mhaisigh

Oiriúnach do pháistí ó 8 go dtí 11 bhliain d'aois

AN GÚM
Baile Átha Cliath

Bhí rí cáiliúil in Éirinn fadó. Mac Dathó ab ainm dó. Bhí sé ina rí ar Chúige Laighean. Bhí cú iontach aige a raibh Ailbhe mar ainm air. Bhí clú agus cáil ar Ailbhe ar fud na hÉireann. Bhí sé fíochmhar agus dhéanadh sé Laighin uile a chosaint. Bhí fonn ar gach rí eile an cú seo a fháil.

San am sin bhí Méabh ina banríon ar Chonnachta. Bhí sí pósta le fear saibhir, Ailill. Tháinig teachtairí ó Mhéabh agus ó Ailill chuig Mac Dathó. Bhí an cú ag teastáil uathu.

Bhí Conchúr mac Neasa ina rí ar Chúige Uladh an tráth céanna. Tháinig teachtairí ó Chonchúr freisin chuig Mac Dathó, ag iarraidh an cú a fháil.

Cuireadh fáilte roimh na teachtairí. Tugadh isteach iad i mbruíon Mhic Dathó agus fuair siad neart le hithe agus le hól. Ansin chuaigh siad chun cainte le Mac Dathó.

‘Ó Mhéabh agus ó Ailill a thángamar,’ arsa na teachtairí ó Chonnachta. ‘Ba mhaith linn an cú cáiliúil seo atá agat a fháil. Má thugann tú Ailbhe dúinn, tabharfaidh an Bhanríon Méabh sé mhíle bó bhainne duit láithreach chomh maith le carbad agus an dá chapall is fearr atá aici. Agus geallann sí an méid céanna duit arís i gceann bliana.’

Ansin thosaigh na teachtairí ó Chúige Uladh ag caint. Mhínigh siad an scéal do Mhac Dathó.

‘Ó Chonchúr mac Neasa a thángamar ag iarraidh an cú a fháil,’ arsa duine acu. ‘Is fear mór le rá é Conchúr agus cara ar leith. Geallfaidh sé an méid céanna duit a gheall Méabh agus beidh sé cairdiúil leat as seo amach.’

Is ansin a bhí Mac Dathó bocht i bponc. Ní raibh a fhios aige céard ba cheart dó a dhéanamh. Bhí sé buartha agus faoi bhrón. Chaith sé trí lá ina thost, gan bhia, gan deoch, gan codladh na hoíche a fháil.

'Céard atá ort?' d'fhiafraigh a bhean. 'Cén fáth nach féidir leat bia ná deoch a chaitheamh? Agus níor chodail tú le trí oíche anois. Táim trí chéile agat.'

Ach níor labhair Mac Dathó léi. D'fhan sé ina thost.

Bhí a bhean buartha ansin agus smaoinigh sí ar feadh tamaill.

'Ní bhíonn fonn ort éisteacht le bean,' ar sise lena fear céile, 'ach is é seo mo chomhairle duit – tóg é nó fág. Tabhair an cú don dá dhream – do mhuintir

Chonnacht agus do mhuintir Uladh araon – agus lig dóibh a chéile a throid faoi.'

Nuair a chuala Mac Dathó a bhean chliste ag caint mar sin d'éirigh sé agus chroith sé é féin. Chuir sé fáilte roimh an bplean seo.

Chaith na teachtairí trí lá is trí oíche aige. Ansin labhair Mac Dathó leis na teachtairí ó Chonnachta.

'Tá socraithe agam an cú a thabhairt d'Ailill agus do Mhéabh,' ar seisean. 'Má thagann siad ar a lorg cuirfear fáilte rompu. Beidh bia agus deoch agus bronntanais le fáil acu.'

Agus an méid sin déanta aige, chuaigh sé chuig teachtairí Rí Uladh agus bhí an scéal céanna aige dóibh.

'Táimse chun an cú a bhronnadh ar Chonchúr. Má thagann fir Uladh, cuirfear fáilte rompu agus gheobhaidh siad go léir bia, deoch agus bronntanais.'

Ach ba ar an aon lá amháin a tháinig slua Chonnacht agus slua Uladh go dtí bruíon Mhic Dathó chun an cú a thabhairt abhaile leo.

'Nílimid ullamh daoibh, a laochra, arsa Mac Dathó, 'ach tagaigí isteach. Tá fáilte romhaibh.'

Chuaigh siad go léir isteach sa bhruíon. Shuigh na Connachtaigh ar thaobh amháin den seomra. Shuigh na hUltaigh ar an taobh eile mar naimhde ba ea an dá dhream leis na céadta bliain.

Maraíodh muc a bhí ag Mac Dathó, agus daichead bullán chomh maith. Ba bhreá ar fad an mhuc í agus chuir Conchúr agus Ailill araon an-spéis inti.

'Tá an mhuc go maith,' arsa Conchúr.

'Tá go deimhin,' arsa Ailill, 'ach cé a roinnfidh í?' Ansin labhair Bricriú, fear a bhíodh ag cothú trioblóide i gcónaí.

'Cé a roinnfidh an mhuc ach an laoch is fearr chun troda dá bhfuil anseo.'

Ní raibh duine ar bith sásta leis an gcaint sin agus d'éirigh argóint idir na hUltaigh agus na Connachtaigh.

Faoi dheireadh shocraigh Cead mac Mághach, laoch ó Chonnachta, go roinnfeadh sé féin an mhuc. Ní raibh fear ar bith i gCúige Uladh chomh cróga leis.

Bhí sé ar tí dul i mbun oibre nuair a tháinig Conall Cearnach isteach agus b'iontach an fháilte a chuir na hUltaigh roimhe. Thug sé dúshlán Chead chun troda.

‘Is fíor,’ a dúirt Cead, ‘gur fearr tusa ná mise i gcúrsaí troda ach dá mbeadh mo dheartháir Anluan anseo bheadh an bua aigesean.’

‘Ach tá Anluan anseo, gan dabht,’ arsa Conall Cearnach de bhéic agus thóg sé cloigeann Anluain

amach as faoina chrios. Chaith sé an cloigeann le Cead agus buaileadh sa phus leis é. D'imigh Cead i bhfad ón muc le déistin agus thosaigh Conall ar an muc a roinnt.

Ní bhfuair na Connachtaigh ach an dá chos tosaigh agus ní raibh siad sásta in aon chor.

D'éirigh troid fhíochmhar idir iad agus na hUltaigh.
I lár na troda rug Mac Dathó ar a chú agus d'iompair sé amach faoin aer é. Chuir sé síos ar an talamh é agus lig don chú a rogha féin a dhéanamh.

Roghnaigh an cú na hUltaigh mar bhí briste ar na Connachtaigh sa chath. Ach mharaigh Fear Logha, a bhí ina thiománaí ag Ailill, é.

I ndeireadh na dála ní raibh an cú ag aon dream acu ach bhí Mac Dathó slán sábháilte. Choinnigh sé a chuid talún agus a chuid beithíoch agus d'imigh na sluaite ar ais go Connachta agus go hUlaidh.

Mhair Mac Dathó agus a bhean chliste go sona sásta ón lá sin amach.

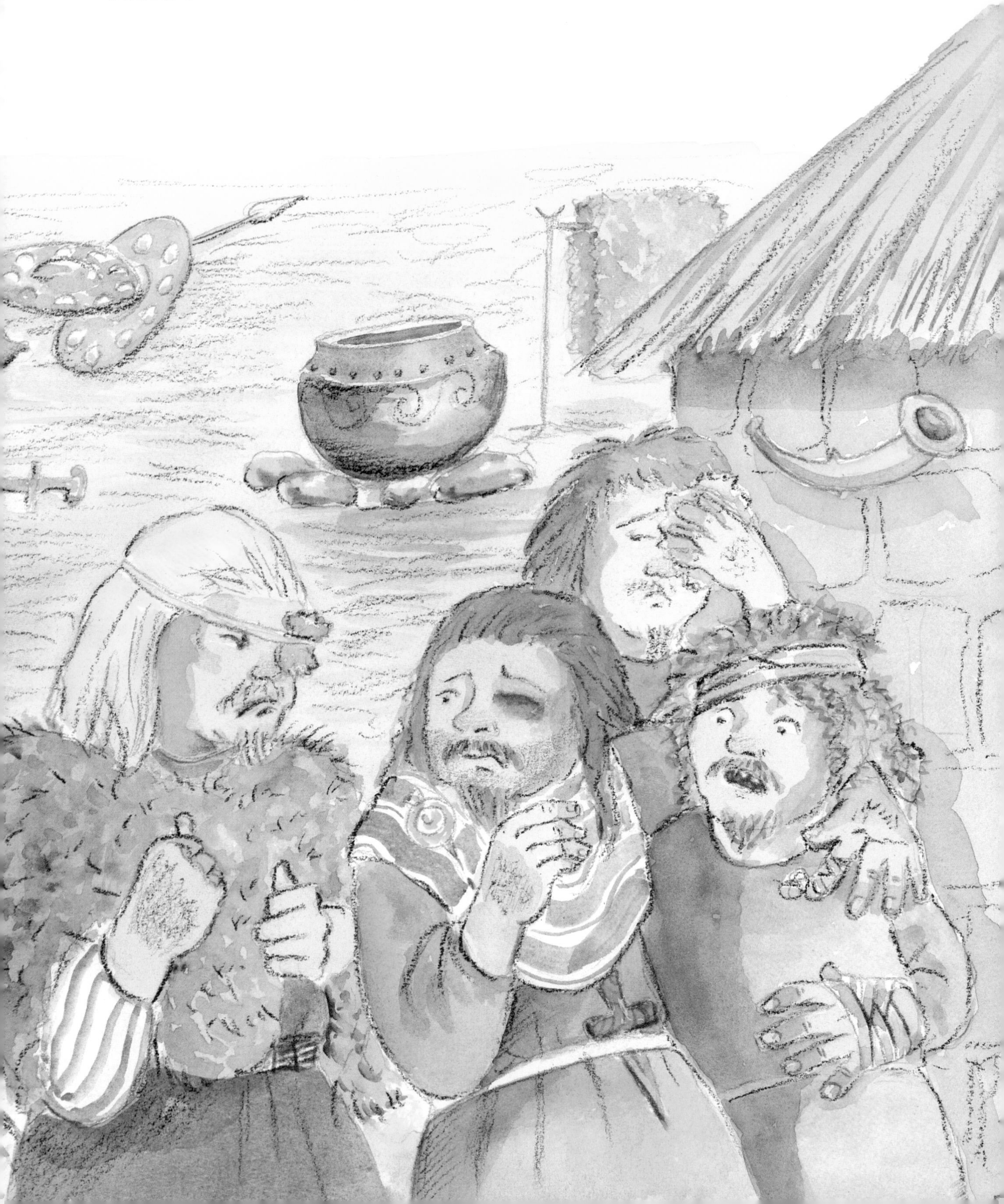